이가라시 미키오 지음 • 고주영 옮김

CONTENTS

일러두기

1) 이 책은 일본 제책 방식을 따랐습니다.

2) 글을 읽을 때 오른쪽에서 왼쪽으로 읽어주세요.

#1 가라루를 좋아하게 됐어

앗
꺄아아아
너부리가 놀러 오는 날인데 좀 늦네~
내가 가봐야겠다

누가 좀
도와
줘요~~
얼키
설키
아야
아파
금방
도와
줄게요~
가시
나무에
엉켰다!

뚝 뚝 뚝
힘을
내요~

저기요~
누구든
좀 도와
줘요~~
미안
해요
~~
이 사람,
자기가
엉켜버렸
잖아?
얼키설키
얼키설키

누구야
이 토끼는?
너희 집에
가던 중이어서
다행이지
너부리야
고마워~
대체
뭘 한 거야?
너
이 동네
토끼가
아니구나?
응?
감사합니다
덕분에
살았어요
카라루
라고 해요
따라
와봐
둘 다
상처
투성이잖아
그래?
아뇨,
저 이 동네
살아요
빙글
빙글
이 진흙을
상처에
바르는 거야

이렇게?
질척
너무 발랐잖아

으~~~~
진흙~~

톡톡 톡톡

힉
철퍼억

뭐 하는 거예요?
됐고, 얼른 발라!
철퍽 철퍽
제가 할게요!
응? 그럴래?
훅
카라루
등은 내가 발라줄게
고마워
매끈
너도 안 발랐잖아!!

너 이름이?
톡톡 톡톡
고마워

그럼 네 등은 내가

흐응~~ 보노보노
톡톡 톡톡
나는 보노보노야

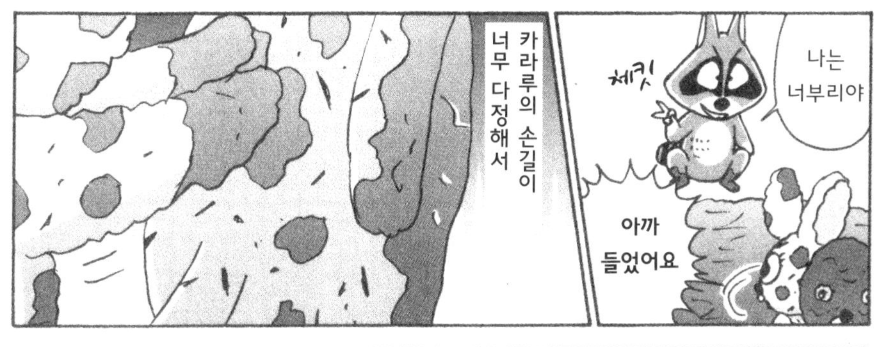
카라루의 손길이 너무 다정해서
체킷
나는 너부리야
아까 들었어요

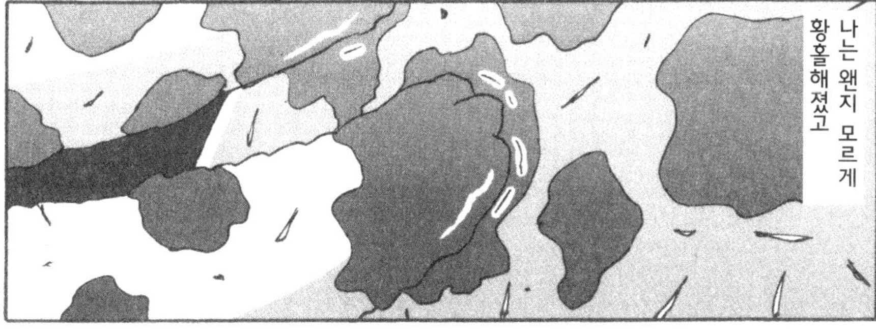
나는 왠지 모르게 황홀해졌고

아하하하하
일어나!
잠이 들고 말았어
쿨쿨쿨~~~
푸더엉

보노보노는 누가 누굴 좋아하고 그런 거 싫어하죠?
포로리는 혹시 보노보노가 그 아이를 좋아하게 된 건가 했는데
그런가~~
그거 엄청 보노보노 답다
절벽에 올라가
어쩔 수 없이 일어나
하지만 난 그날 밤 잠이 오지 않았고

숲 쪽만 바라봤어

나,
그 후로
어어엇
어질어질
그거
사랑이에요!

보노
보노

자꾸 넘어져
철푸덕
끼익
발밑을
잘 보면서
걸어요!!

아…

이건 포로리보다 너부리랑 상담하는 게 좋을 거예요

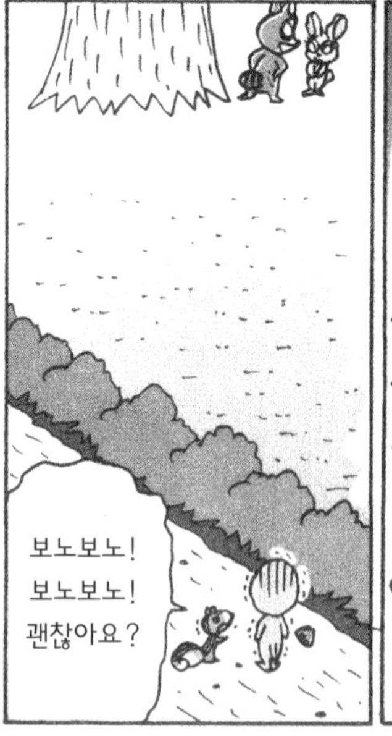
보노보노!
보노보노!
괜찮아요?

또오옥
아아아아~
사랑은 모든 평화와
질서와 우정을
박살내면서
밀어붙이는 겁니다

#1 끝

#2 거절당하면 어떡하지

아하하하
아하하하

그런데 보노보노는?

실연의 충격에서 아직 벗어나지 못했을 텐데

보노보노, 어쩌고 있으려나

아하하하
아하하하
다
다
다
다
보노보노가
엄청 신나게
달리고 있어!
앗!

아하하하
아하하하
아아
하하
하하
하하
다
다
다
다

아하하하하아
아하아아아아아
큰일 났다

카라루를…
잊다니 뭘요?
즐겁게 지내면 잊을 수 있을 것 같아서…
무슨 일이에요 보노보노?

사랑 따위 환상일 뿐이에요!
보노보노!
역시나
아~~
하~

환상 이라니?

보노보노가 생각하는 카라루는 어떤 느낌이에요?
내 생각에 카라루는—
보노보노가 생각하는 카라루는 세상 어디에도 없어요!
어? 어디에도 없어?

뭇가지 사이로
빛이 내리쬐고
무지개도 떠 있음
강가에서 환하게 웃으며 이쪽을 향해 언제까지고 손을 흔들고 있어
나비도 있고
강물은 반짝반짝
꽃 같은 것도!
뭔가 음악도 들리고

그럼—
알았어요
그거야 조금 다를지도 모르지만…

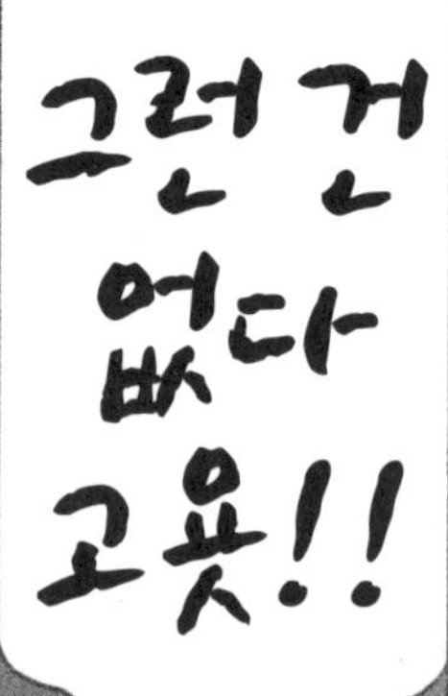
그런 건 없다 고옷!!

진짜 카라루의 모습을 보여드리죠
에엣!?

좋아!
카라루를 만날 수 있겠지?

아!
포로리, 어때?
나 이상하지 않아?

이상하고 뭐고 알몸이 잖아요!!
좀 더럽지 않아?
발이 좀 더럽네요

앗, 진짜네!

그~래! 이거면 되겠다!!
씩씩
잎사귀로 감출 게 아니라 강물에 씻어요!!

포로리
어디 가?
카라루의
집이 어딘지
너부리한테
물어보려구요
아…
그렇구나

보노보노
싱긋
카라루는 또
너부리랑
놀고 있을지도
몰라요
엇?

스윽~

앗,
오소리!
오소리!
고마워! 고마워!
정말 고마워!
됐어~
왜 이래
~~
굽신굽신
어째
쑥스
럽네

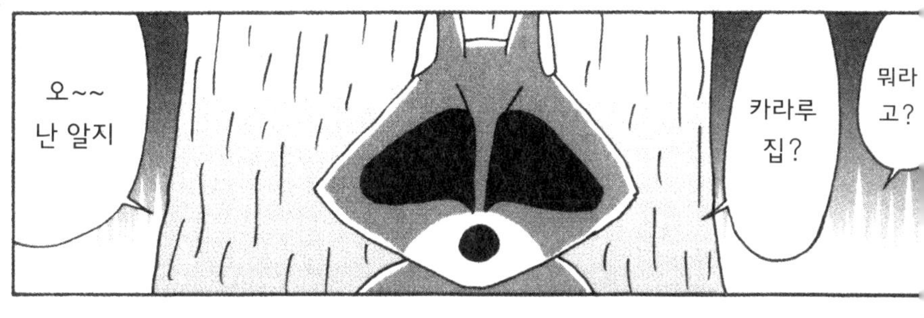
뭐라 고?
카라루 집?
오~~ 난 알지

너부리는 놀러 간 적 있어요?
응~~ 세 번 정도?
카라루 집은 어때요?
어떻긴, 평범하지
가보면 알 거야

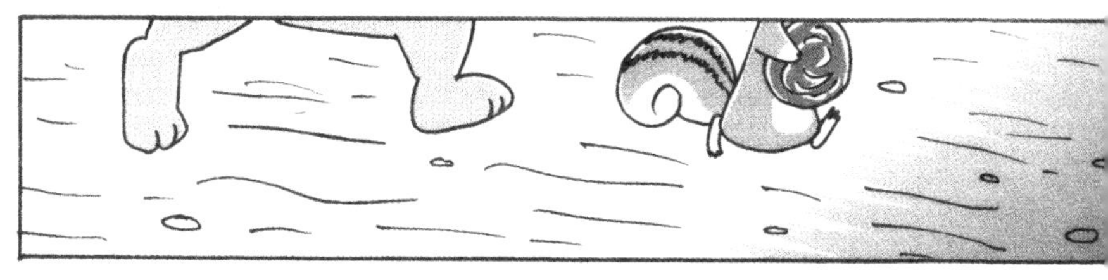

너부리는 카라루 이름을 막 부르던데요

앗, 저게 카라루의 집!?

어째
평범하네요
있잖아요,
보노보노
…
왜
집 같은 걸
보여줘
갖고…
봐,
저기…
글썽글썽
평범하든지
어떻든지 간에
좋아하는 사람 집은
특별하지
앗,
너부리!

#2 끝

#3 보고 또 보고 싶어
아무래도 카라루가 너무 보고 싶어서
역시나 카라루를 보러 와 있었네요
앗, 포로리!
보노 보노

사랑을
비밀스럽게 하면
큰일이 돼요!
그러면
안 돼요

어떻게
매일
만나지?
매일?
매일 카라루를
당당하게
만나러 가요!

어?
대놓고?
그러니
대놓고
하는 게
좋아요

그건…
음~

선물을
갖고 가면
되는구나
그렇
구나!
매일 선물을
갖고 가는
거예요!
맞다!

이걸 갖고 가면 된다는 거지?
좋아
이 작은 꽃을 꺾어줘도 좋겠네요
여자 아이니까요
무슨 선물이든 상관 없어요
그런데 무슨 선물?
간다~~
좋았~어
그건 무리야 무리!
우하하하
껄껄 껄껄
얼른 가요!

사랑 따위
1년이고 2년이고
계속되는 거
아니잖아
그냥
놔둬
어떻게
하면
될까요?
너부리

그랬다면
멀리서 집을
보거나 하진
않았겠지
쉽게
카라루 앞에
나설 수
있겠어?
그건
그렇죠

바스락
바스락
보노보노는
포로리네 올 때
항상 같은 풀밭을
지나오는데

그러게
털썩
단호함
아뇨,
보노보노
라면
계속될
거예요

솔직하게
대답해요
너부리!
너부리는
카라루를
좋아하나요?

씩씩
그게 지금
그럴듯한
길이 됐지
뭐예요!
그래서
어쨌단
거야?

아
그렇다면, 단연 목도리 새우지!
이런거
카라루의 집에 가져갈 선물은 흔치 않은 거여야 해
근데 바위 밑에 숨어 있네
있다!
목도리 새우를 잡고
하하~
다
보노
있네
손가락을 물게 해서 꺼내야겠다
이럴 바에
그래
안 돼
좁아서 잘 안 잡혀

꽈아악
나뭇가지 같은 걸 물게 해서 잡는
목도리 새우는
거야~
보노~
어때요 너부리?
카라루를 좋아해요?
아~니
귀엽긴 하지만 좋아하진 않아

분명히
말하는데
걘 나랑
게임이
안 돼
나랑
걔가?
푸웁
다행
이다
휴
보노보노랑
다투게 되나
싶었어요
좋~아
가자~~
놀러
왔어~~
깡충 깡충
너부리
~~

카라루
어엇
어쩔 수 없지~~
아니~~
안 돼?
카라루 나갔는데~
너부리도 반한 거 아닌가?
글쎄~~
누구?
앗! 그럼 실례했습니다~
#3 끝

#4 아직도 카라루가 좋아

너부리!

최근에 보노보노랑 만난 적 있어요?
응?
안 만났는데
걔가 오지도 않았고

썰렁한
관계?
썰렁한
관계로…
이대로
갈 것
같다니?
만나지 않으면
이대로 갈 것
같은데…

아~~
아~~
썰~~렁
이런
느낌요
후비적
후비적

등에
있는 건
뭐예요?
너부리!
그럼 난
고구마 캐러
간다

일일이
해볼 필요
없잖아!
뻑

포로리
한테도
좀 빌려줘요
오호~
고구마
담기에
좋아
이건
아빠가
만들어준
'배낭'이란
거야

좋아 보이지 않거든~~
뻐엉
엄청 좋은데요?
우~와
너부리는 걱정 안 해도 되겠어
앗
어쨌든 사랑을 해본 적도 없고…
문제는 보노보노야
카라루는 누구든 금방 친해지는 성격인가?
카라루가 오소리랑 걷고 있다!

뭐라고?
카라루랑
어떤
관계냐고?
나쁜
의도는
없겠
지만…
저봐봐!
아무렇지
않은 듯
다른 사람을
만져

당연히
연인 사이지!

카라루도
그렇게
생각하나요?
헉?

나한테
이렇게
했거든

그게
카라루가
그럴걸?

뭐가 아니야?
아니 아니, 그건 아닌 것 같은데요
절레 절레
나도 그렇게 했고
토옥
좋아하면 이미 연인 사이지 뭐
특별히 사귀자고 한 적도 없고
상관없어, 그렇게 생각하면 그만이지
앗, 포로리!
보노 보노~
그 나무는 뭐에요?
이거 아빠가 만든 거야

데굴
데굴
단다
무척 옮기기 쉬워졌
나무가 무거워서 아래에 돌을 달아 굴러가게 했어
우와~
여기에 올라타면 신날 거야
뾰~옹
그래!
앗
그~
래
앗
캬하하하
와~ 정말 신난다 ~~
덜컹
덜컹

여기에
손잡이를 달면 엄청
좋을 거야!
캬하하하
아하하하
덜컹 덜컹 덜컹
보노보노가
잘 지내서 다행이야
응
나 잘 지내~~
근데 아직도 카라루가 좋아요?
으… 응
아까 오소리를 만났거든요, 아주 멋진 말을 하던데

내가
좋아하면
이미
연인이라고
특별히
사귀거나
하지 않아도
된다고

내가 좋아하기
시작하면
이미 연인인
거구나
정말
좋은
말이네~

글썽글썽
그렇
구나
~~
카라루는
내 연인
이구나~~
큰일
이다~
이건 뭔가
역효과가…
글썽글썽

#4 끝

#5 카라루와 이게우사

혹시
오소리의 연인이 카라루!?
이건 수호 목걸이야

우와~~ 근사해~
예쁘지?
무슨 알이야?
아니 아니, '지피에스' 라는 돌이야
지피에스? 고마워

나한테 뭐라도 줘
어?
뭐라도 달라고?
뭐든 상관없어
거기 떨어진 잎사귀여도 돼

정말 이 잎사귀여도 괜찮아?
응
자, 이거
응

실망 했잖아!!
빙글 빙글
저 새, 계~속 빙글빙글 돌고 있어
어?
응? 어디
이제 카라루가 어딨는지 알 수 있겠어
좋아 좋아!
아~~ 카라루~~ 어디서 뭘 하는 거야?
어어어엇
다 다 다 다

아~~
맛있다
이 강물
최고야—
찰랑 찰랑
엇?
또
어딘가로
간다
뭐야,
물 마시러
온 건가?
이~~봐
오소리~
응?
뭐지, 저건
오소리잖아?

부스럭
부스럭
부스럭
첨벙
첨벙
첨벙
다다다다다
아무도 오라고 안 했거든?
그렇게 멀리서 부르지 마!

어디 어디, 카라루는 뭐 하고 있어?
지피새는 자기 알이 없어지면 끝까지 쫓아가니까
오호라, 저 지피새 아래에 카라루가 있는 거군
뭐 하고 있었어?
응? 나?

미남이다!!
나 미남 처음 봐!
여자들은 미남에 약하다니까~
내 사랑은 끝났어
어? 너도 카라루를 좋아했던 거야?
그러게 쓸데없는 짓을 해가지고는―
뻐어엉

앗
까아악
그래서
오소리가
카라루한테
수호 목걸이를
준 거구나
그렇구나
앗,
보노
보노!
카라루!
그 목걸이
풀어!
푸드덕
푸드덕
뭐야,
당신?
어?
얼른
얼른
그 목걸이
하고 있으면
새가 또 공격
할 거야!
으앗
뭐야
뭐야?
부웅
타악

#5 끝

#6 메이크업은 사랑스러워~

너부리는
카라루를
아직
포기하지
않았던
거네요
음~

너부리랑
카라루!

이번엔
여기 볼에
발라보자
아니 아니,
예뻐 보여~

우와~ 립스틱을
바르니까 뭔가
신기한 얼굴이
된다~

대체 뭘
하고 있는
거죠?

오오~~
메이크업은
뭔가 신나!
가만 가만,
움직이지 마

메이크업
완성~~
오케이~

어때?
싱긋
엄청 예뻐~
예뻐~
이건 필요 없어
휘익
하지만 메이크업, 엄청 즐거웠어 ~~
그치?
그래?
이거 다 풀이랑 꽃으로 만든 거라고
너부리는 뭐든지 잘 만드네~
고마워 너부리~

포로리
이건?

저런 거
포로리도
만들 수
있어요!
왜
괜찮은 척
하고 있어요?

해볼
까요?
치덕
치덕

이 꽃의 가루는
정말 예쁜
보라색이에요
이건
보라색
지치꽃!

그렇죠?
그렇죠?
포로리,
정말 좋다~
예엣~~

나도
해봐야지
좋았~어
치덕
치덕
치덕

러블리~~

러블리~~
으응?
오오~~
엄청
좋잖아요~
뭐야
저건?
너부리~
너부리야~
이거 봐봐~
이것저것
더 해보자

러블리~~~

남자가 해도
즐거운데요
누가
그래요?
메이크업은
여자들이
하는 거야

실은
너부리도
해보고 싶은
거죠?

그리고
카라루한테
보여주면?
그래요
너부리도
한 번 해보면
어때?
아니거든
멍청아!

사악
카라루다
있다
귀엽다고
할지도
모르잖아요
왜
카라루
한테
보여줘?

#6 끝

#7 포켓고, 굉장한 거야?

내가 굉장한 걸 생각해 냈어~
카라루~
오소리!
앗
너부리가 가르쳐준 메이크업, 정말 신나!
후후후

뭐야
그거?
'포켓고'
라고 해
그때
이 단추를
누르면
뭔가를
발견하면
포켓고가
시끄러워지고
달그락
달그락
이걸
들고
걷다가
포켓
도마뱀이
뛰쳐나와
뿌웅
빠끔
우와~
귀여워!
봐봐~
이렇게
귀여운
방구벌레가
영차영차
그리고
잡아
당기면
꼬질꼬질
사사사사

방구 벌레는 종류가 많아서 잡는 재미가 있지
이 냄새로 포켓 도마뱀이 방구벌레를 찾아내는 거야
근데 구린내 나
으응…
빠끔
좋아, 가랏!
뾰옹
달그락 달그락
이번엔 이쪽으로 가보자
영~차
퍼~ㄹ 쩍
어때 이거?
꺄아~ 예쁜 보석 같아~

그렇게 말하지 말고 그냥 가져가
재미는 있는데 필요는 없어

으응…
근데 구린내 나

어어, 괜찮아
어? 정말 괜찮아?

안 쓰면 근처에 놔둬
그러다 안 쓰면 미안하잖아

어슬렁
어슬렁
어슬렁
벌써 버리냐?

응?
뭐야 저 녀석들
뭐 하는 거지?
무슨 일일까?

포켓고야
너희들은 모르는 구나

포켓고?
야!
그거 내가 만든 거야
아냐, 미남 토끼 이케우사가 만들었어!
하하하, 이거 재밌다!
삐끔
뾰~옹

뭐라~?
부들부들
이런~!

나도 해볼래
안 되거든?
네가 만들어서 카라루한테 줬지?

너,
포켓고를
카라루한테
줬지?
왜지?
카라루가
나쁜 거 아냐?

카라루가
이케우사
한테
준 거네
그럼
카라루
겠지

너
정도는
아니지!
넌
아니냐?

이 녀석~
아직도
카라루한테
빠져 있구만
그럼 그걸
어떻게 할지는
카라루의 자유지

오오~~
좋아
좋아!
카라루
집에
가보자
사이좋게
지내자!
그만해
그만해
또
시작이네

이 녀석
아직도
카라루
한테
빠져 있는
거야?
네가
제일 가고
싶은 거
아니냐?
뻥

나도 갈래
그럼

내 맘대로 해서 미안
미안해 미안해
꾸벅 꾸벅

미안~
앗

왜 자기가 만들었다고 했어?
찌릿
아… 아니
내가 만들었냐고 물어보길래

나 좋아하는 거 아니었어?
야야, 그렇게 화낼 일은 아니지
사실대로 말하면 되잖아!
왜 그렇게 폼을 잡으려고 해?

#7 끝

#8 올림픽이 시작된다!

그럼
다음 경기는
돌 옮기기!
누구든
참가할
수 있어
요~
그
래
아빠도
응원하러
가야
겠네
나는 돌
옮기기에
나가요
아~~
돌
옮기
기

열을 셀 때까지
돌을 몇 개
옮기느냐 하는
경기야
그럼~
모여~

아…
카라루가
왔네
어?
보노
보노도
나가지?
힘내요!
응

뿌지직
그럼
시작한다
~~
주~비
보노보노,
카라루
의식하면
안 돼요!
으…응

10
9
거기 까지
5
4
3
2
6
그 기세 쭉 이어서~
좋다!! 힘내~
좋~아 좋~아
하악 하악 후우
3개 ~~
보노 보노는?
1위는 멋지게 38개를 기록한 바오루~
미안~ 나 넘어졌어~
이 경기에서 어떻게 하면 넘어져요?
겨우 3개 옮기면서 뭘 그렇게 숨을 헐떡이고 땀을 흘려요?
퍼억

카라루의 동생?
카라루의 동생 바오루도 나왔었군요
누나! 너무 기뻐~
대단하다 바오루~
자~ 나뭇가지 오르기 참가자 집합~
뭐든 잘하는 천재 소년 이래요
올림픽 종합 챔피언 자리를 2번 차지했다
현재 나뭇가지 오르기 3연패 중인 너부리는
이 경기에서 이긴 자가 올림픽의 진정한 승리자라 할 수 있지
좋~아
앗, 카라루 잖아
너부리~ 파이팅~

위험 하니까~
서로 부딪히지 않고 오르는 거야

규칙은 간단해
가장 먼저 꼭대기에 도착하는 사람이 승리!
단, 선수끼리 접촉하면 둘 다 실격

포로리도 나가보면 어때?
나무 오르기 잘하잖아
사람들 앞에서 하는 게 부끄러워서요
아
괜찮
부끄럽지 않도록
해줄게
어?

준~비
뿌지직
더 부끄럽지 않아요!!
뻐엉
이러면 포로리인지
알 수 없겠지?

너부리 어서어서~
너부리야 힘내!
사사삭
역시 너부리가 빠르다!
탁
탁
탁
그래~ 할 수 있다!
엇?
흠칫
꽈악

떨어
진다!
앗
허억

다
다
다

비켜!!

큰곰
대장!

너부리와
족제비는
선수 간
접촉으로
실격~~
그럼
나뭇가지
오르기
1위는—
얼른
도와
줘요~
아~~
늦었군

바오루~~
너부리
아깝다~
쳇
카라루 남매랑
족제비가 함께
걷고 있네
뭔가
안 좋은
느낌이…

#8 끝

#9 카라루는 1등만 좋아해

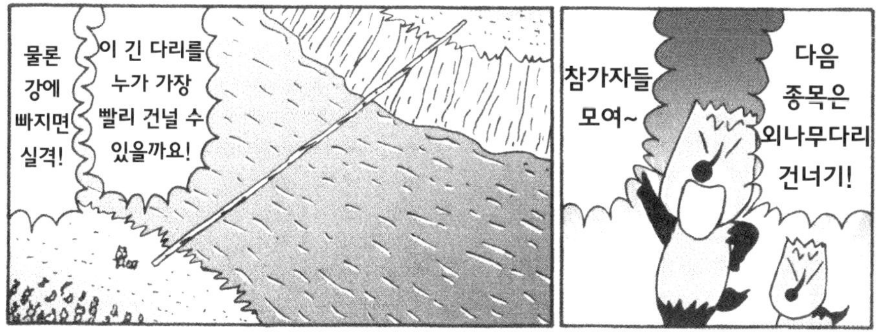

그럼 올해도 우승 후보네
포로리는 역시나 출전하는 군요
후후
작년에도 월등한 1위였고
이건 포로리 지~
포로리 힘내~
도프 열매라고 해요
먹으면 엄청나게 힘이 솟아요
이건 내 선물 이에요
힘내요!
아… 카라루
못 먹어요?
왜요?
내가?
어?
카라루 먹어요
난 괜찮 아요
그럼 응원하고 있을게~
그럼, 아까우니까 먹어야지
오도독 오도독
쏘옥

우웩~
우웩~
누나 괜찮아?
우~~
설사할 뻔 했어
돌 옮기기랑 나뭇가지 오르기에서 이겼으니까 이제 괜찮지 않을까?
무슨 소리야! 바오루!
종합 우승을 해야지!
1등 말고는 아무 가치가 없어
1등이 아니면 즐겁지 않아
누나
메이크업 시작하고 달라진 거 아냐?

메이크업 같은 걸로 달라질 것 같아?
바오루, 꼭 이겨!

와ー
오ー
바오루 좋은 기록 이네~
4초 7 이라니!
근데 시간을 어떻게 재는 거야?
린과 린 아빠가 세는 거야
1·2·
보통
빠르게
1·2·3·4·5·
6·7·8·9·10·
11·12·13·14·
15·16·17·18·
19·20
다음은 누구?
저요!
나뭇가지 오르기에서 나랑 부딪힌 족제비 아빠잖아
자~ 간다~
준~비
뿌지직
다다다

포로리야
힘내~
떨어지지
말고~
다음!
빠르다
와아아아
미끄덩
다다다
준~비
뿌지직
미끄덩
엇?
까아아아

한심하다~
장하다 바오루~
1위는 바오루 ~~

네 앞 순서가 족제비 아빠였지
허허~
미끌 미끌

어째 기름칠한 듯 반질반질해
봐요
미끌 미끌

한심해~~
발이 미끄러워서 넘어졌지 뭐예요

포로리보다 먼저 달린 거지?
역시나 당신, 자폭할 각오로 발바닥에 기름칠을 하고
박박
으~~ 아직도 발바닥이 미끌거려

발바닥에 나무껍질이 붙어 있네요
스윽
증거는 여기 있어요

무슨 근거로 그런 소릴…

아저씨 발바닥에 붙은 나무껍질이랑
포로리가 가져온 껍질이 꼭 들어맞을 걸요

뻐엉
그래서 뭐라는 거야?

봐요!
꼬옥

잠깐만 너부리

내가 족제비
아빠한테
부탁했어

미안해
왜
그런 짓을
한 거야
그럼 나뭇가지
오르기 때도
아저씨가
일부러 나랑
부딪힌 거야?

응, 미안
나
때려도 돼
이게~~

너부리!
카라루를
용서해줘
때릴 거면
나를 때려

뻐어어엉
아~~
역시나

#9 끝

#10 마지막 종목은 다 함께 마라톤

그럼 산을 향해 출발~~

오오— 와아—

다들 돌아오는 거다~

준~~비

출~발

뿌지직

우르르

기운 내서
같이 가자!
아!
카라루!
보노보노
무슨
일이야?
포로리야~
난 더 이상
안 되겠어
하아
하아
지금 막
출발
했어요!
분명
모두에게
사과하긴
했지만…
카라루
자~
힘내자 힘!
아깐
내가
비겁했어
미안
너부리,
그만해요!
달릴 수
있으면서!
아니~~
더 이상은
안 돼,
못 뛰겠어~~
너부리야~
괜찮아?
비틀
비틀

하아
하아
보노보노!
무리하지 말고
좀 쉴까?
다 다 다
후우
하아
하아
괜찮아?
저 나무
밑에서
응!
여기를
잡으면
숨 쉬기가
편해져
아
후우
아니
시간이
흘러서
겠지
보노보노는
참 재밌어
아하하하

이제 순위는 상관없어
아니
나랑 같이 쉬면 점점 뒤쳐질 거야
카라루
왜 같이 쉬고 있는 거야?
앗! 보노보노랑 카라루!
1등에 연연했던 게 한심했어
그래, 너도 쉬어
털썩
나도 쉬어주지
너희만 쉴 수야 없지!
맘대로들 쉬어
나도 쉬어주지
털썩
좋았어!
이 녀석들

아직 어려서
멋모르고
출발할 때
있는 힘껏
뛰더라고
나, 동생
모레루를
찾고 있었어
아

돌봐주는 게
뭐야?
오소리!
보노보노 좀
돌봐줘~
다다다
미안~
먼저 갈게

하아
후우
다다다
응
뭐야,
쉽잖아
쓰담쓰담
쓰담

어떻게
하는
거야?
나, 동생
돌본 적
있어

쓰담쓰담
이렇게~

어?
너부리~~
다
다
다
산이 제법 가까워 졌다!

아파아아
다리를 삤나봐
괜찮아?
모레루를 찾으러 뛰었더니
모레루 한테 무슨 일이 있어?
아직 어린애라 그런지 아까 출발할 때 튀어나가 더라고

토끼니까 빨리 달리겠네
좋아, 내가 모레루 찾으면서 달릴게

너한테만 맡기면 미안하잖아

뭐, 괜찮아
아까 내가 나무 오르기랑 외나무다리 건너기에서 반칙도 했고…

나도 같이 찾고 싶어
눈물
뚝뚝

다다다다
그럼 업고 가주지~

이 녀석, 카라루 동생 모레루 아냐?
쫄래 쫄래
응?

너부리 이렇게 가면 우승 못해~~
우승 안 해도 돼

#10 끝

#11 과연 우승자는?

카라루가 다시 나한테 반할지도 몰라
좋았어! 월등한 1위야
하하하
하아 하아
후우
어떠냐 바오루 녀석
더 이상 못 따라오겠지
다다

어? 그런 거야?
이미 우승 같은 건 불가능해
하아 후우
나 때문에 뒤쳐졌어
이제 마라톤 따위는 아무래도 상관없어
후아
후아
너부리 괜찮아?
하아 후우
비틀 비틀

그러니까 신경 쓰지 마
너부리 고마워~
마라톤은 서로서로 도우면서 완주하는 경기잖아
미안 미안
내가 다리를 삐는 바람에
괜찮다니까
하아 하아
픽

미안해~ 너부리 정말 미안~
괜찮다니까
난 여기서 쉬었다 갈게
앗
내 동생 모레루를 찾아야 해
아아, 먼저 가도 돼

여엉차
다다다
왜 내가 이 녀석을 짊어져야 하는 거야
카라루를 만날 때까지 참아
영차
여엉차

오소리야~
다행이다~
엄청 편해
앗,
이거
좋다
그럼 다 같이
모레루를 들자

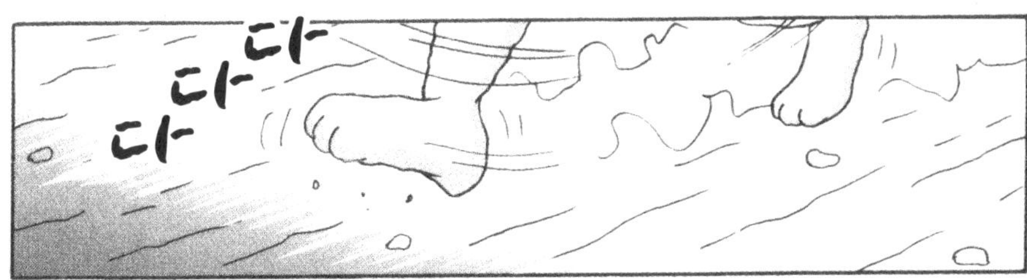
다다다다

아프다
아파
아야아아
응?

응? 왜?
하지만 그럴 수 없어…
잠깐 쉬면 나을 거야
아야야, 다리에 쥐가 나서…
괜찮아?
카라루 잖아
그럼 반대쪽 인가
못 봤어
앞쪽에 없었어?
모레루를 찾아야 해
그럼 마라톤 어쩌려고?
어?
자, 업어줄게
또 다리 삐겠어
이봐봐
돌아 가야 해
절룩 절룩
괜찮다 니까
그럼 더더욱 나를 업으면 안 되잖아
와 이케우사 대단하다!
괜찮아, 선두로 반환점 돌았으니까

이게 더 편해
이케 우사

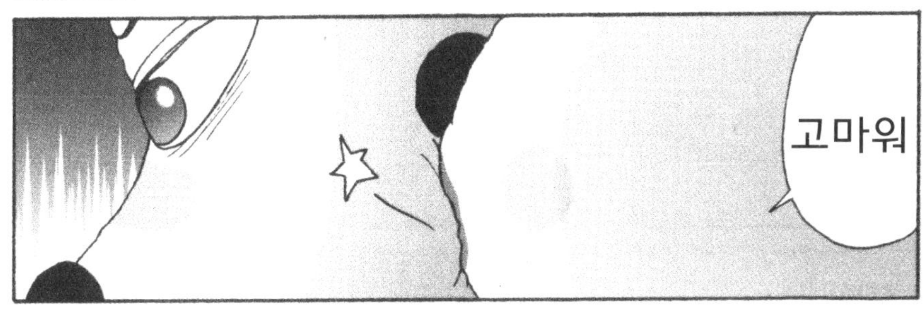
고마워

좋~아 간다~~
어머멋~
다다다다
꺄아악~
응?
하아 후우
너부리~ 야호~~
다다다
엇!
뭐야 저 녀석
이번엔 이케우사 한테 업혀서

반환점 근처에서 봤던 것 같은데
어떻게 됐지?
어? 바오루?
바오루는 어떻게 됐어?
응?
이케우사
하아 후우
앗
꺄악
휘익
으악
터억
털썩
앗! 저건?
우~~ 우~~
이케우사, 여기서 좀 쉬자
앗! 미안 ~~
아야야 아파

왜 그렇게 들고 있는 거야?
카라루~~ 모레루 여기 있어~
카라루랑 이케우사 잖아
바오루!
하아 후우
비틀 비틀
탁 탁
으앵~
너 어디에 있었어?
지금 이라면 1등 할 수 있어!
바오루 힘내! 조금만 더 가면 결승점이야!
앗
바오루~~
바오루
누나 미안, 더 이상 한 발짝도 못 가겠어…
꽈당

자~~
1위 선수가
보입니다!
과연 누굴까요?
이제 곧
결승점이야
바오루~
다다

야호~
바오루가
1위~~

잠~잠
왜요?
서로 도와서
결승점에 도착하는 게
마라톤 아니었어?
졸졸졸
카라루!
모레루를
두고 갔어
아…

#11 끝

#12 사랑한 후에

어?
메이크업 이제 안 하나~~
앗, 카라루!

지난
올림픽 때
모두에게
미움을 샀잖아
당연하지

카라루가
기운이
없어?
뭐라고?

자업
자득은
말이죠,
음~
그게

자업자득
이라니?
비겁한 짓을
했으니
자업자득이죠

모두가 아주
행복하게 살고 있는
숲이 있었어요

그곳에 고주하루라는
모두에게 사랑받는
아주 활기찬 토끼가
있었는데요

고주하루에게는
비밀이 있었습니다
고주하루가
막 태어났을 때ㅡ
뻥
길게
얘기
하지 마!

포옹
카라루는 이거지
뭐, 미움을 사도 별 수 없지
카라루?
다들 정말 카라루한테 화가 난 걸까~
부웅
다다다
같이 공놀이 할래, 보노보노?
카라루 따위 이제 관심 없어
카라루?
응?
뻐엉
왜 네가 가냐?
앗, 이케우사!
뭐야, 보노보노 잖아
응?

엄청나게 치사한 방법을 잔뜩 썼으니
화났지
카라루한테 화 안 났냐고?
뭐?
자주 만났던 여기서 기다리고 있었어
사과하러 올까 싶어서
사과하지 않으면 용서 못해
엇?
너는 카라루를 좋아하지 않아?
보노보노
후후
이케우사는 카라루를 아직도 좋아해?
사랑이란 걸 별로 좋아하지 않아?
어?
사랑이란 거 별로 좋아하지 않아~
하지만 난…
다들 카라루한테 빠졌네
후후후! 역시나

안 된다고 생각하면서도 그렇게 돼버리니까…
누군가를 두고 서로 다투거나 내 걸로 만들거나 하면
누군가를 좋아하는 건 엄청 좋아
하지만 나
"응" 이라니
응
너 신기한 애구나
끄덕
좋다고 말하는 건…
아니, 그렇지 않아
좋아한다고 말하면 내 것이 되어 달라는 것처럼 들리잖아
그게 …
응
좋아는 하지만 말하진 않는다?
당신을 좋아하는 놈이 여기에 있다고 말하는 거야

좋아한다고
말하려면
지금밖에
없다고
그러
니까
나를
좋아한다고
말해준 사람을
생각하면
얼마나 위로가
되는지…
괴로울
때나
외톨이가
되었을 때
바오루한테
들었는데
이 숲에서 지낼 수가
없어서 이사할지도
모른대
저기
누구지?
응?
이케우사
잖아

뭐야~
뭐 하는
거야
앗,
보노보노랑
카라루!?
무슨
얘길
하는
거지?

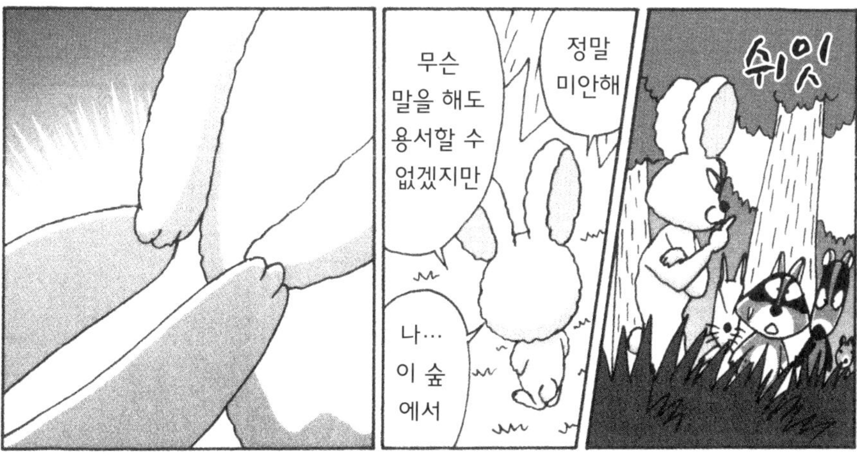
쉬잇
정말
미안해
무슨
말을 해도
용서할 수
없겠지만
나…
이 숲
에서

카라루
나 너
좋아해
어?

보노보노
고마워
정말
고마워

왜 다들
따라 우는
거야~~
뻐어엉
뭐?
진짜?
앗,
이케우사가
울고 있어
대체 걔넨
무슨 얘길
하는 거지?

#12 끝

후기

'사랑'이란 감정을 별로 좋아하지 않았던 보노보노가, 이번에 사랑을 합니다. 카라루라는 토끼를 좋아하게 되는데요, 그 이유는 그리지 않았습니다. 아마도 다쳤을 때 카라루가 보노보노에게 진흙을 발라줬기 때문이겠죠. 여자가 진흙을 발라주다니, 그게 너무 기분이 좋아서 잠들어버리다니, 보노보노로서는 처음 겪는 일이었습니다. 사랑은 그런 데서 시작합니다. 그리고 "당신이 좋아"라고 상대에게 말한다면, 그 사람은 당신을 평생 잊지 못하겠죠.

이가라시 미키오

옮긴이 고주영
공연예술 독립프로듀서이자 번역가이다. 옮긴 책으로 《리셋》, 《누가 뭐래도 아프리카》, 《얼음꽃》, 《나만의 독립국가 만들기》, 《현대일본희곡집6-7》(공역), 《부장님, 그건 성희롱입니다》(공역) 등이 있다.

보노보노스 2

초판 1쇄 펴낸 날 2017년 11월 25일

지은이 이가라시 미키오
옮긴이 고주영
펴낸이 장영재
편 집 백수미, 배우리, 서진
디자인 고은비, 안나영
마케팅 김대성, 강복엽, 남선미
경영지원 마명진
물류지원 한철우, 노영희, 김성용, 강미경

펴낸곳 (주)미르북컴퍼니
자회사 더스토리
전 화 02)3141-4421
팩 스 02)3141-4428
등 록 2012년 3월 16일(제313-2012-81호)
주 소 서울시 마포구 성미산로32길 12, 2층 (우 03983)
E-mail sanhonjinju@naver.com
카 페 cafe.naver.com/mirbookcompany

(주)미르북컴퍼니는 독자 여러분의 의견에
항상 귀 기울이고 있습니다.

파본은 책을 구입하신 서점에서 교환해 드립니다.
책값은 뒤표지에 있습니다.